Peidiwch â Mynd i'r Seler

Jeremy Strong

Lluniau Scoular Anderson
Addasiad Gwen Redvers Jones

Gomer

Cyhoeddwyd gyntaf yn 2003 gan
Barrington Stoke Ltd, 18 Walker Street,
Edinburgh EH3 7LP dan y teitl *Don't Go In The Cellar*
www.barringtonstoke.co.uk

Cyhoeddwyd yn Gymraeg yn 2009 gan
Wasg Gomer, Llandysul, Ceredigion, SA44 4JL
www.gomer.co.uk

ISBN 978 1 84323 988 8

Noddwyd gan Lywodraeth Cynulliad Cymru.

Argraffwyd a rhwymwyd yng Nghymru gan
Wasg Gomer, Llandysul, Ceredigion.

Cynnwys

Pennod 1

Yr Ysgrifen ar y Wal

'Pam bod yn rhaid i Lowri ddod i aros?' gofynnodd Jac.

'Oherwydd mai ei mam hi yw fy ffrind gorau i, a dw i'n moyn rhoi help llaw iddi. Mae hi'n gorfod mynd i ffwrdd am rai dyddiau,' eglurodd Mrs Tomos, mam Jac.

'Ond dw i ddim yn hoffi Lowri.'

'Does dim rhaid i ti ei hoffi, mae hi bron yn aelod o'r teulu.'

Aeth Jac i fyny i'w ystafell wely, eistedd ar y gwely a syllu ar y wal. Roedd Lowri'n dod i aros. Doedd dim modd dianc. Doedd Jac ddim yn hoffi Lowri ac roedd sawl rheswm dros hyn.

1. Roedd hi'n ferch.

2. Roedd hi'n glyfar.

3. Roedd hi wedi'i wthio i'r pwll padlo. (Iawn, dim ond pedair oed oedd e ar y pryd, ond roedd e'n dal i gofio. Roedd wedi bod yn brofiad gwlyb. Yn brofiad gwlyb iawn. Ac roedd Lowri wedi chwerthin. Roedd Lowri wedi chwerthin yn uchel am amser hir.)

4. Roedd Lowri wedi gwthio Jac i'r pwll padlo, felly gwthiodd Jac hi i'r gwely blodau. Tro Jac oedd hi i chwerthin wedyn, ond nid am amser hir. Roedd y rhan fwya o flodau gorau Mam wedi'u torri wrth i Lowri gwympo arnyn nhw. Wps!

Wrth gwrs, ar Jac roedd y bai i gyd ac roedd ei fam wedi dweud y drefn wrtho. Credai Jac bod hyn yn hollol annheg gan mai Lowri oedd wedi dechrau'r cwbl. Dyma'r tro cyntaf i Jac weld pa mor anodd ac annheg y gallai bywyd fod.

Roedd y ddau'n ddeuddeg oed erbyn hyn, a hyd yn oed nawr doedd Jac ddim yn hoffi Lowri. Roedd e'n ei chofio fel merch fach gydag wyneb tew, crwn a gwallt du, pigog. Eisteddodd ar ei wely a phwdu.

I wneud pethau'n waeth, newydd symud i'w tŷ newydd roedd teulu Jac. Roedd e'n bell o ble roedden nhw'n byw o'r blaen, ac roedd Jac yn teimlo dan gryn straen ynglŷn â'r holl beth. Roedd ganddo dŷ newydd i ddod yn gyfarwydd ag e, stryd newydd ac wynebau newydd drws nesa. Wedyn roedd ysgol newydd, athrawon newydd, tref newydd, siopau newydd ac ymlaen ac

Peidiwch â mynd i'r seler

ymlaen ac ymlaen. Roedd popeth yn ormod iddo.

Roedd Mr Tomos, tad Jac, wedi newid ei swydd a dyna pam eu bod nhw wedi symud mor bell. Dim ond tri diwrnod roedden nhw wedi bod yn y tŷ newydd, ac yn barod roedd dieithryn yn dod i darfu arnynt – y Bwci o'r Pwll Padlo, sef Lowri.

Ochneidiodd Jac. Gorweddodd ar ei ochr ac edrych yn bwdlyd ar y wal. Roedd yn ddiwrnod heulog braf a llifai'r haul i mewn i'r ystafell wely, gan oleuo pob peth. Dyna pam, efallai, i Jac sylwi ar yr ysgrifen. Fyddai e ddim wedi gallu ei gweld yn y nos, nac mewn golau gwan. Nawr roedd hi'n hollol glir.

Roedd ysgrifen ar wal yr ystafell wely, yn isel i lawr ond yn union gyferbyn â ble roedd Jac yn edrych. Roedd y llythrennau'n fach iawn ac wedi'u hysgrifennu mewn rhywbeth tebyg i bìn ffelt. Dyma beth roedden nhw'n ei ddweud:

Peidiwch â mynd i'r seler

Dyna'r cwbl, dim byd arall.

Peidiwch â mynd i'r seler

Cododd Jac gan bwyso ar ei benelin, a meddwl. Roedd e wedi gweld y neges yma o'r blaen. Pan gyrhaeddon nhw'r tŷ newydd roedd hen gwpwrdd dillad wedi'i adael yn ei ystafell wely. Roedd Jac wedi edrych i mewn iddo. Roedd yn hollol wag, ond y tu mewn i un o'r drysau roedd neges wedi cael ei chrafu â rhywbeth miniog.

Peidiwch â mynd i'r seler

Y peth rhyfedd oedd – doedd dim seler yn y tŷ newydd. Felly, beth oedd yn digwydd?

Pennod 2

Lowri

'Mae Lowri yma!' galwodd Mrs Tomos ar Jac. Roedd e'n gwybod hynny'n barod. Roedd e wedi clywed y tacsi'n gadael y tŷ. Roedd e wedi clywed cloch y drws ac yna lleisiau o'r gegin.

'Dere lawr i ddweud helô,' galwodd Mrs Tomos arno. Trodd at Lowri a gwenu arni. 'Mae Jac braidd yn swil,' meddai.

O'i ystafell wely, clywodd Jac ei fam yn galw ac aeth mor goch â betysen. Pam nad ydy rhieni byth yn deall? Pam mae rhieni bob amser yn cael pethau'n anghywir?

11

Pam maen nhw'n creu embaras bob amser?
Caeodd Jac ei lygaid a chyfri'n araf i ddeg.
Aeth i lawr y grisiau.

'Haia,' meddai Lowri. 'Dw i'n hoffi eich tŷ
newydd chi.' Gwenodd, a goleuodd ei hwyneb.
Dywedodd Jac rywbeth o dan ei anadl.

'Wel, rwyt ti wedi prifio,' meddai Mr
Tomos gan gymryd bag Lowri oddi arni.

Rholiodd Jac ei lygaid. Roedd pobl wastad
yn dweud yr un peth. Pam roedden nhw'n
trafferthu? Roedd e'n moyn gweiddi, *Wrth
gwrs ei bod hi wedi prifio!* Dyna beth mae
plant yn ei wneud wrth iddyn nhw fynd yn
hŷn! Dydyn ni ddim wedi'i gweld hi ers wyth
mlynedd! Mae'n amlwg ei bod hi wedi prifio!

Ond ddywedodd e ddim byd. Llusgodd
y tu ôl i'w dad wrth i hwnnw fynd â Lowri
ar daith o gwmpas y tŷ newydd. Tra oedd
hi'n edrych ar yr ystafelloedd, roedd Jac yn

edrych arni hi. Oedd wir, meddyliodd, roedd hi wedi prifio. Doedd Jac ddim wedi breuddwydio y byddai Lowri'n edrych fel hyn. Roedd hi bron mor dal ag e. Roedd ei gwallt yn dal yn ddu, ond nawr roedd e mor hir nes ei bod hi'n gorfod ei wthio y tu ôl i'w chlustiau i'w gadw o'i hwyneb. Roedd ei hwyneb yn llawn chwerthin a hwyl.

Daeth taith Mr Tomos o gwmpas y tŷ i ben. 'Wel, dyna ni,' meddai. 'Dyna stafell Jac i lawr fanna, ac fe fyddi di yn yr ystafell yma.'

Cafodd Jac syniad sydyn. 'Dangos y seler iddi hi, Dad.'

Ysgydwodd Mr Tomos ei ben. 'Dyna'r trydydd tro mae e wedi gofyn hynna i mi, Lowri. Dw i'n dweud a dweud wrtho fe bod dim seler yma. Dw i'n credu ei fod e'n chwarae rhyw jôc arna i, ond dyw hi ddim yn ddoniol iawn.'

14

Chwarddodd Lowri. Gwgodd Jac. Aeth Mr Tomos i lawr y grisiau a gadael y ddau.

'Beth sy mor arbennig am y seler?' gofynnodd Lowri.

'Mae'n arbennig achos dyw hi ddim yn bod,' atebodd Jac, ac roedd yn gobeithio bod rhyw ddirgelwch tywyll yn ei lais.

'Wyt ti bob amser yn siarad rhyw ddwli fel hyn?' gofynnodd Lowri.

Petrusodd Jac, gan bendroni a ddylai ddangos yr ysgrifen ar y wal i Lowri ai peidio.

Yn y diwedd, ni allai wrthsefyll y demtasiwn.

'Dere i weld,' meddai ac fe aethon nhw i'w ystafell e.

Yn gyntaf dangosodd y cwpwrdd dillad iddi. 'Dyma'r unig gelficyn gafodd ei adael

gan y bobl oedd yn arfer byw yma,'
eglurodd, tra oedd Lowri'n craffu ar yr
ysgrifen y tu ôl i'r drws.

'Sut wyt ti'n gwybod mai rhywbeth i
wneud â'r tŷ yma yw'r ysgrifen?' gofynnodd
Lowri. 'Efallai ei fod e wedi cael ei
ysgrifennu mewn tŷ arall a bod y cwpwrdd
wedi cael ei symud yma wedyn.'

'Ro'n i wedi gweithio hynny allan fy
hun,' ebychodd Jac. Pwyntiodd at ei wely.
'Gorwedda lawr fan'na,' meddai.

Dechreuodd Lowri biffian chwerthin. 'Wyt
ti'n ffansïo fi, 'te?'

Doedd gan Jac ddim syniad y gallai droi
mor goch ag y gwnaeth bryd hynny. Man a
man iddo fod wedi sefyll yno a label SÔS
COCH ar ei frest. Roedd e bron â gweiddi
arni.

'Nac ydw! Dw i'n moyn i ti ddarllen rhywbeth, a dim ond wrth orwedd fan'na a dy wyneb at y wal fyddi di'n gallu ei ddarllen e.'

Gwenodd Lowri a gwneud fel y dywedodd Jac wrthi. Symudodd Jac y lamp oedd wrth ochr ei wely fel ei bod yn goleuo'r geiriau bach.

'Peidiwch â mynd i'r seler,' darllenodd Lowri. Eisteddodd i fyny'n gyflym ac edrych ar Jac. 'Wel,' meddai, 'os oes seler yn y tŷ yma, mae'n amlwg ei bod hi lawr grisiau'n rhywle. Mae'n gyffrous! Yn union fel Harry Potter. Dere!'

Llusgodd Jac yn araf ar ei hôl. Roedd ganddo ryw deimlad bod rhywun neu rywbeth yn dechrau rheoli'i fywyd.

Pennod 3

Y Seler

Treuliodd Jac a Lowri oriau'n chwilio am y seler. Synnai Mrs Tomos cystal roedd y ddau'n dod ymlaen gyda'i gilydd.

'Dw i'n credu bod Jac yn ffansïo Lowri,' meddai wrth ei gŵr.

'Sut wyt ti'n gwybod? Mae'n ymddangos i mi fel petai'n arthio arni drwy'r amser.'

'Dyna beth dw i'n feddwl,' eglurodd Mam. 'Wrth gwrs, dyw Jac ddim yn sylweddoli ei fod yn ei ffansïo hi.'

Edrychodd ei gŵr arni am eiliad neu ddwy ac ysgwyd ei ben. 'Mae menywod yn greaduriaid rhyfedd,' meddai. Edrychodd ar Jac a Lowri wrth iddyn nhw gerdded heibio'r ffenest. 'Felly, os ydy Jac yn ei ffansïo hi, ydy hi'n ffansïo Jac?'

'O'r nefoedd! Mae Lowri wedi ffansïo Jac er pan oedd hi'n bedair oed! Dyna pam y gwthiodd hi fe i'r pwll padlo!' eglurodd Mrs Tomos.

Ysgydwodd Mr Tomos ei ben unwaith eto. 'Fydda i byth yn gallu deall menywod,' meddai dan ei anadl.

Yn ffodus, doedd gan Jac na Lowri ddim syniad bod rhieni Jac yn siarad amdanyn nhw fel hyn. Roedden nhw'n llawer rhy brysur yn chwilio am y seler. Roedden nhw wedi archwilio pob metr sgwâr o'r tŷ o'r tu mewn, heb ddod o hyd i unrhyw beth.

Roedd Jac wedi tapio'r waliau a'r llawr hyd yn oed, gan obeithio clywed a oedd mannau gwag yn rhywle lle gallai agoriad i seler fod. Ond doedd dim.

Aethon nhw i'r ardd a cheisio cael hyd i agoriad o'r tu allan i'r tŷ.

'Fe allai fod yn unrhyw le,' ochneidiodd Jac.

'Ddim yn unrhyw le,' meddai Lowri'n bles iawn â'i hunan. 'Fydde fe ddim yn gallu bod yn Tsiena, er enghraifft. Mae'n rhaid ei fod yn ymyl y tŷ. Mewn gwirionedd, mae'n bur debyg ei fod reit yn erbyn wal y tŷ. Beth am y tŷ gwydr?'

'Mae'n llawn o sbwriel,' atebodd Jac.

'Dw i'n gwybod. Dere.' Gwthiodd Lowri ei ffordd i mewn i'r tŷ gwydr. Roedd e'n fach iawn ac roedd hen styllod, potiau a silffoedd – heb sôn am bob math o sbwriel – ymhobman.

'Mae hwn yn fwy o ddymp nag o dŷ gwydr,' mwmialodd Jac.

Edrychodd Lowri'n ofalus ar y fan lle roedd y tŷ gwydr yn sownd wrth un wal i'r tŷ. Roedd wedi'i orchuddio â hen silffoedd.

'Rho help llaw i mi symud y llwyth yma. Gallai fod y tu ôl i'r fan hyn.' Fe stryffaglon nhw gyda'r styllod mawr. Roedd yn rhaid symud popeth oedd yn y tŷ gwydr cyn eu bod yn gallu symud y silffoedd.

'Wel, wel, wel,' sibrydodd Jac. Daeth hen ddrws i'r golwg. I fod yn hollol onest, roedd e'n debycach i hanner drws. Roedd ei waelod ar y llawr, ond doedd e'n dod fawr uwch na'u canol. Beth bynnag, drws oedd e. Roedd rhywun wedi defnyddio paent coch i adael neges arno. Y tro hwn, roedd y llythrennau'n fwy o lawer.

Peidiwch â mynd i'r seler

'Dw i'n credu y dylen ni fynd i mewn,' gwenodd Lowri.

'Wyt ti bob amser yn gwneud pethau dwyt ti ddim i fod i'w gwneud?' gofynnodd Jac.

'Wrth gwrs,' atebodd Lowri. Trodd handlen y drws, pwyso yn ei erbyn a rhoi un gwthiad mawr. Bu bron iddi gwympo i mewn, ac roedd yn rhaid i Jac gydio ynddi i'w hatal rhag hedfan i lawr rhes o risiau tywyll. Tynnodd hi'n ôl a baglodd hithau yn ei erbyn.

Edrychodd Lowri'n syth i'w wyneb. 'Ti mor gryf,' meddai, gan wenu'n annwyl.

'O! Bydd dawel,' mwmialodd Jac, ac arwain y ffordd i lawr.

Roedd yr arogl yno'n hen a metalig. Doedd e ddim yn arogl cas, dim ond yn wahanol. Roedden nhw'n sefyll mewn ystafell fach. Roedd peiriant anferth yn llenwi'r lle, a hwnnw wedi'i orchuddio â llwch a gwe pry cop. Roedd olwynion anferth arno, gyda channoedd o gogs i'w troi. Roedd yr olwynion yn cael eu cysylltu gyda chadwynau a ffyn metel anferth, ac roedd pwlïau a liferau ar gyfer codi pethau, a phistonau i symud i fyny ac i lawr.

Ym mhen pella'r ystafell roedd cist fetel, fawr. Beth allai fod y tu mewn iddi? Roedd lifer mawr ar un ochr. Ar ben y gist roedd ffenestr wydr frwnt, o'r un siâp a maint â blwch llythyrau. Defnyddiodd Jac ei lawes i rwbio'r ffenest yn lân. Edrychodd i mewn ond doedd e ddim yn gallu gweld dim.

'Does gen i ddim syniad be ydy pwrpas y ffenest yna,' meddai.

'Beth am hwn?' gofynnodd Lowri, a'i llaw ar y lifer. 'Be mae hwn yn ei wneud?'

'Dw i ddim yn meddwl y dylen ni gyffwrdd ag e,' meddai Jac.

Wrth gwrs, roedd yn rhaid i Lowri dynnu'r lifer. Roedd hi wedi rhybuddio Jac. Roedd hi wastad yn gwneud pethau doedd hi ddim i fod i'w gwneud. Dechreuodd y peiriant sgyrnygu, gwichian a rhuo. Trodd yr olwynion. Gwichiodd y cadwynau. Pwniodd y pistonau'n ôl ac ymlaen. Dechreuodd y llawr grynu. Fe glywon ryw glec swnllyd,

ac ymddangosodd gair yn y ffenest fach.
Craffodd Jac arno. Darllenodd:

ARSWYD

Beth mae hynna'n ei olygu? gofynnodd
Lowri'n siriol.

Ymhen eiliad cafodd ateb i'w chwestiwn.

Neidiodd sgerbwd ar ei chefn.

Pennod 4

Arswyd

'Aaaaa! Aaaaa! Tynna fe i ffwrdd!' sgrechiodd Lowri.

Gafaelodd Jac mewn brwsh. Pwniodd yr esgyrn sychion nes iddyn nhw gwympo'n un twmpath wrth draed Lowri. Edrychodd i lawr mewn arswyd ar y pentwr esgyrn. Yna'n sydyn, dyma'r esgyrn yn ailffurfio a chloncian i ffwrdd. Doedd dim diferyn o waed yn wyneb Lowri.

'Be sy'n digwydd?' sibrydodd, gan edrych o'i chwmpas mewn braw. Ond roedd y seler yn dawel a llonydd. Disgleiriai dau lygad yn

y gwyll. Yna pedair llygad, chwe llygad, a
chant o lygaid. Gafaelodd Lowri'n dynn yn
Jac. Gafaelodd Jac yn dynn yn Lowri. 'Mae
rhywun yn ein gwylio ni,' sibrydodd. 'Pwy
ydyn nhw? Beth maen nhw'n moyn?'

'Symuda tuag at y grisiau'n araf bach,'
meddai Jac yn dawel.

Dechreuodd lleisiau sibrwd yn y tywyllwch.
Roedd fel petai dwsinau ohonyn nhw'n
cleber a chlecian eu gwefusau. 'Jac? Lowri?
Dewch fan hyn. Ni'n moyn eich bwyta chi!

Mmm! O, ydyn! Braich i fi a choes i ti!
Mmm, mmm, mmm!'

Cyrhaeddodd Lowri a Jac waelod y grisiau.

'Rhed!' gwaeddodd Jac, gan wthio Lowri
o'i flaen. Fe sgrialodd y ddau i fyny'r
grisiau nes cwympo, bron, i mewn i olau
dydd. Heulwen o'r diwedd! Edrychodd Jac
o'i gwmpas. Roedd popeth yn iawn. Roedd
popeth yn ôl i normal. Dim sgerbydau.
Dim angenfilod. Roedden nhw'n ddiogel.
Meddyliodd Jac tybed a oedd Lowri'n gallu
clywed ei galon yn curo.

'Mae golwg ofnadwy arnat ti,' meddai Jac
wrthi, gan frwsio llwyth o we pry cop o'i
gwallt.

Syllodd hi'n ôl arno gyda llygaid mawr,
tywyll. Roedden nhw fel dau drobwll mawr
yn ei sugno i mewn.

'Ti wedi achub fy mywyd i,' sibrydodd.

Doedd Jac ddim yn gallu ateb. Roedd e'n gegrwth.

Galwodd rhyw lais o bell, gan dorri'r swyn. 'Jac? Lowri? Mae'n amser cinio. Dewch!'

Swniai llais Mrs Tomos mor dawel, mor normal. Dyna'r union beth oedd y ddau ohonyn nhw eisiau ei glywed. Roedden nhw'n moyn anghofio beth oedd wedi digwydd.

'Dewch, mae cinio bron â bod yn barod,' galwodd Mrs Tomos o'r gegin.

'Paid â dweud gair,' sibrydodd Jac wrth Lowri wrth iddyn nhw fynd i mewn.

'Fydden nhw dim yn ein credu ni beth bynnag,' sibrydodd hithau'n ôl.

Eisteddodd Jac wrth y ford yn syfrdan. Oedd e wedi achub ei bywyd? Oedd e, wir?

Doedd e ddim mor sicr. Doedd e ddim yn teimlo fel petai e wedi achub ei bywyd. Teimlai'n gymysglyd – yn gymysglyd iawn.

'Felly, sut ry'ch chi'ch dau'n dod 'mlaen ar ôl yr holl flynyddoedd yma?' gofynnodd Mr Tomos. Cododd Jac ei ysgwyddau. Winciodd Mr Tomos ar ei wraig. Sylwodd Jac, ac eisteddodd mewn tawelwch pwdlyd.

'Dw i wedi gwneud pastai,' meddai Mrs Tomos. Agorodd ddrws y ffwrn, estyn i mewn a sgrechian yn uchel. Fe sgrechiodd ac fe sgrechiodd ac fe sgrechiodd.

Nid pastai oedd yn dod allan o'r ffwrn, ond pry cop blewog, anferthol. Roedd e cymaint ag octopws. Roedd ganddo goesau fel ffyn bwyta enfawr, yn clician a chlecian wrth iddo chwilio am fwyd. Roedd ganddo geg fel ogof, ac wyth llygad anferth yn sticio allan. Edrychai un llygad ar Jac, a llygad arall ar Lowri. Edrychai un llygad ar

Mrs Tomos, ac roedd y pump arall yn syllu ar Mr Tomos.

Llamodd Mr Tomos ymlaen a chau drws y ffwrn gyda chlep. Bu bron iddo wasgu'r pry cop. Trodd y gwres i fyny. O'r ffwrn daeth rhyw sŵn annaearol ac arogl gwallt yn llosgi.

Crynai Mrs Tomos drosti wrth bwyntio at ddrws y ffwrn. Doedd hi ddim yn gallu siarad. Safai ei gwallt i fyny ar ei phen. O dan y lliain ford, gafaelai Lowri'n dynn yn llaw Jac.

Llyncodd Jac yn galed. 'Dim pastai, felly,' meddai, gan geisio gwenu. 'Be sy i bwdin?'

Edrychodd Lowri'n ofalus o gwmpas yr ystafell. Sgerbwd yn gyntaf, wedyn pry copyn anferthol. Beth ar wyneb y ddaear oedd yn mynd i ddigwydd nesaf? 'O! Na! Y waliau!' ebychodd. 'Edrychwch ar y waliau!'

Roedd waliau'r gegin fel petaen nhw'n dod yn fyw. Roedden nhw'n anadlu a chrynu, yn union fel petai rhywbeth ar fin ffrwydro drwyddyn nhw. Ymddangosodd tyllau bach, yn union fel pennau pinnau bach, gan fynd yn fwy ac yn fwy bob munud. Ac allan o'r tyllau daeth . . .

Malwod du anferth – malwod du cymaint â braich dyn.

Rhedodd Mr Tomos at Mrs Tomos a thaflu'i freichiau amdani. Gwaeddodd y ddau, 'Be ydyn ni'n mynd i wneud?'

'Glou!' gwaeddodd Lowri. Tynnodd ym mraich Jac a'i lusgo tu allan. 'Mae'n rhaid i ni fynd yn ôl i'r seler ar unwaith a newid y peiriant!'

Pennod 5

Y Peiriant Stori

Bu bron iddyn nhw gwympo i lawr y grisiau, gan fwrw sgerbwd arall i'r awyr wrth iddyn nhw faglu'n bendramwnwgl i lawr i'r seler.

'Glou!' meddai Lowri, â'i gwynt yn ei dwrn. 'Rho help llaw i mi i wthio'r lifer yn ôl i ble roedd e!'

Cydiodd y ddau yn y polyn rhydlyd a'i wthio â'u holl egni. Ond na, doedd e ddim yn mynd i fynd yn ôl ar unrhyw gyfrif.

'Dyw e ddim yn mynd i weithio,' llefodd Lowri mewn anobaith.

'Allwn ni byth ag ildio fel 'na,' mynnodd Jac. 'Mae malwod du, anferthol yn ymosod ar Dad a Mam. Dere – falle bydd e'n symud y ffordd arall.'

Gyda'i gilydd fe godon nhw'r lifer a'i wthio â'u holl nerth unwaith eto. Yn araf, filimetr wrth filimetr, dechreuodd rwgnach a symud. *CLONC!* Gyda chlec fel taran, hyrddiodd y lifer ei hun ymlaen.

Fflachiodd label newydd i mewn i'r ffenest fach. Craffodd Lowri a Jac arno.

CHWEDL TYLWYTH TEG

Crychodd Lowri ei thrwyn a thaflu cipolwg ar Jac. 'Chwedl Tylwyth Teg?' gofynnodd. Taflodd Jac gipolwg sydyn o gwmpas yr ystafell. Dim sgerbydau. Diolch byth!

Gobeithio bod popeth wedi mynd yn ôl i normal, petai ond am funud neu ddau.

'Dw i'n credu mod i'n gwybod beth ydy ystyr hyn i gyd,' dechreuodd Jac yn araf, gan gyffwrdd clawr y gist.

'Dw i'n meddwl bod hwn, fan hyn, yn rhyw fath o beiriant stori. Mae'n creu gwahanol fath o storïau. Stori arswyd oedd y gynta, a nawr . . .'

'. . . mae'n mynd i greu chwedl tylwyth teg,' nodiodd Lowri, ei llygaid ar agor led y pen. 'Dyna pam bod draig y tu ôl i ti.'

Chwyrlïodd Jac a gweld rhywbeth bychan yn sgathru tu ôl i'r hen fwrdd. Gwenodd Jac ac ymlacio. Draig oedd hi, roedd hynny'n bendant, ond dim ond maint bocs esgidiau bach oedd hi. Druan ohoni! Mae'n rhaid ei bod hi'n eu hofni nhw. Gwnaeth Jac synau

clwcian tawel, ac yn araf estynnodd ei law allan i godi'r creadur bach i fyny.

Gwyliodd Lowri, gan ddal ei hanadl. *Sut allai Jac afael yn y ddraig? Beth petai'n ceisio'i frathu? Beth petai'n gallu chwythu tân?* Ar unwaith, bu bron i'w chalon stopio. *BETH PETAI'R MAMI DDRAIG ROWND Y GORNEL?*

Wrth i'r syniad yna groesi'i meddwl, clywodd y sŵn mwyaf dychrynllyd. Neidiodd brics allan o'r wal a hyrddiodd marchog ei hun i mewn drwy'r twll. Roedd wedi'i wisgo mewn arfwisg loyw. Roedd e'n chwifio cleddyf deuddwrn mawr, a disgleiriai'r llafn glas, llydan, wrth iddo'i chwifio o gwmpas.

'O'r gorau, ble mae'r ddraig?' mynnodd yn gas. 'Dw i'n gwybod bod draig yma. Fi yw Syr Marchog-Mewn-Arfwisg-Lachar ac mae fy nghleddyf, Sleisiwr-Dreigiau, yn disgleirio'n las fel hyn bob tro mae draig gerllaw. Mae'n rhaid i mi ei lladd ar unwaith.'

'Ond dim ond babi yw'r ddraig,' protestiodd Jac, gan ddal yr un bach hyd yn oed yn dynnach. Brasgamodd y marchog tuag ato. Teimlai Jac yr aer yn symud wrth i'r cleddyf sleisio'r awyr uwch ei ben.

'Mae babanod yn tyfu i fyny!' rhuodd Syr Marchog. 'Y fi yw'r draig-laddwr! Rho'r ddraig i mi ar unwaith!' Camodd ymlaen, gan godi'i gleddyf yn uchel uwch ei ben. Crymodd Jac o'i flaen, gan feddwl yn siŵr ei fod e'n mynd i farw gyda'r ddraig fach.

Roedd ymennydd Lowri bron â ffrwydro gyda'r ymdrech o geisio meddwl. Beth yn y byd allai hi wneud? Yn sydyn, goleuodd ei hwyneb. Ie! Gallai weithio. Brysiodd i waelod y grisiau a dechreuodd ochneidio a llefain a thynnu'i gwallt mewn anobaith.

Trodd y marchog ati ar unwaith. 'Beth? Tywysoges mewn trybini? Rhaid i mi ei hachub ar unwaith.' Croesodd draw at Lowri, a phlygu ar un ben-glin o'i blaen. 'Ferch eurwallt,' dechreuodd, er mawr syndod i Lowri. Wedi'r cyfan, roedd ei gwallt yn ddu, ond gadawodd iddo fynd yn ei flaen. 'Beth sy'n bod? Oes bleiddiaid yn barod i'ch bwyta? Oes yna ddewin drwg yn barod i'ch troi'n lindys? Sut y gallaf i fod o gymorth i chi?'

'O, boen a thrallod,' llafarganodd Lowri, yn dal i gymryd arni ei bod yn dywysoges mewn trybini. Daliodd gefn un llaw ar ei thalcen a griddfan yn uchel. 'Mae malwod du, anferthol yn y gegin ac maen nhw ar fin bwyta rhieni fy ffrind! Chi yw'r unig un all eu hachub!'

Synnodd Jac at hyn. *Mmmm*, meddyliodd, *mae hon yn eitha cyfrwys. Mae hi'n fy achub i a'm rhieni ar yr un pryd. Tric bach da dros ben!*

43

'Paid ag ofni!' gwaeddodd Syr Marchog-Mewn-Arfwisg-Lachar. 'Lladdaf y malwod duon seimllyd yna, ac fe gawn ni i gyd fyw yn hapus am byth!'

'Fy arwr!' ochneidiodd Lowri gan hoelio'i llygaid arno. Gwgodd Jac. Dim ond hanner awr ynghynt roedd hi wedi bod yn hoelio'i llygaid arno fe.

Rhuthrodd Syr Marchog-Mewn-Arfwisg-Lachar i fyny'r grisiau gyda Lowri a Jac yn ei ddilyn. Tu allan roedd golygfa ryfedd arall yn eu hwynebu.

Roedd tyrfa o bobl yn casglu o gwmpas tŷ Jac, ac roedden nhw fel petaen nhw'n ei fwyta.

Pennod 6

Pastai'n Cyrraedd
o'r Diwedd

'Mmmm, bara sinsir bendigedig,'
mwmialodd un dyn, gan gnoi llond ei
geg o ffrâm ffenest.

Roedd e'n dweud y gwir. Roedd waliau'r tŷ
wedi'u gwneud o fara sinsir. Eisin cacen
oedd y to. Siocled oedd siliau'r ffenestri.
Doedd dim rhyfedd bod pobl yn bwyta'r tŷ.

Doedd dim golwg o'r malwod du,
anferthol. Mewn gwirionedd, roedd rhieni
Jac erbyn hyn yn cerdded i fyny ac i lawr

mewn tymer ddrwg iawn, yn ceisio llusgo'r bobl oedd yn bwyta eu tŷ oddi ar y waliau.

'Oes ots 'da chi?' medden nhw. 'Ein tŷ ni yw hwn! Peidiwch â bwyta fy nrws ffrynt i! A chi – edrychwch beth rydych chi wedi'i wneud. Rydych chi wedi gadael olion dannedd dros stepen y drws i gyd.'

Yna, daeth sŵn chwalu mawr, ac yn sydyn cwympodd y garej i'r llawr. Roedd un wal gyfan wedi cael ei bwyta'n llwyr gan y bobl, gan adael y garej heb ddim i'w ddal i fyny.

'Maen nhw'n bwyta popeth sy ganddon ni!' gwaeddodd Mrs Tomos. 'Dw i ddim yn deall. Yn gynta roedd pry copyn anferthol yma, wedyn malwod duon seimllyd – a nawr mae ein tŷ'n cael ei fwyta o flaen ein llygaid ein hunain. A pham bod marchog mewn arfwisg loyw yn cloncian o gwmpas y lle? O, mae'n ormod i mi.'

Edrychodd Jac a Lowri ar ei gilydd a nodio. 'Yn ôl i'r seler, siŵr o fod,' mwmialodd Jac. 'Am faint mae hyn yn mynd i bara, ti'n meddwl?'

Cododd Lowri'i hysgwyddau. 'Does dim syniad 'da fi. Dere, mae'n well i ni frysio, neu bydd dim tŷ ar ôl 'da ti.'

Yn ôl yn y seler, fe wthion nhw'r lifer unwaith eto. *CLONC!*

'Beth mae'n ddweud?' gofynnodd Jac mewn llais nerfus.

'SLAPSTIC,' darllenodd Lowri. 'Be ti'n feddwl ydy ystyr hwnna? Whwwwsh!'

Daeth pastai gwstard fawr yn sydyn o rywle, a glanio glatsh ar ei hwyneb. Sychodd y cwstard oddi ar ei llygaid a rhythu ar Jac.

'Ti wnaeth hynna, Jac? Aros di!' Deifiodd Lowri ymlaen, gan lithro ar groen banana mawr a chwympo'n fflat ar ei hwyneb.

Roedd Jac yn ei ddyblau'n chwerthin.

'Mae fel syrcas, Lowri!' gwaeddodd. 'Mae'n ddigri dros ben.'

Roedd hyn yn gwneud Lowri'n fwy a mwy crac.

Stryffaglodd i sefyll ar ei thraed a dechrau rhedeg ar ei ôl unwaith eto. Trodd Jac i redeg i ffwrdd, ond cydiodd ei drowsus ar fachyn pigog. Daeth sŵn rhwygo ofnadwy ac roedd darn mawr o ddefnydd wedi'i rwygo yn hongian i lawr o ben-ôl ei drowsus.

'O, na!'

Tro Lowri oedd hi i chwerthin nawr. 'Dw i'n gallu gweld dy drôns di!' gwaeddodd,

gan ddawnsio o gwmpas y lle yn hapus.
'Dw i'n gallu gweld dy drôns di!'

Nawr roedd Jac yn rhedeg ar ôl Lowri.
Rhuthrodd hi i fyny'r grisiau ac allan i'r
ardd. Roedd hi'n ymddangos fel petai rhyfel
pasteiod wedi dechrau yno. Roedd pasteiod
o bob lliw a llun yn hedfan dros y lle i gyd.

Glaniodd tarten afal yn glatsh ar frest Jac, a tharten hufennog ar ei glust dde. Gwasgodd rhywun diwb mawr, a saethodd past tomato ar draws yr ardd gan lanio ar ben Mr Tomos.

Roedd Mrs Tomos yn straffaglu o gwmpas y lle gydag un droed yn sownd mewn bwced. Yn sydyn, cafodd Lowri ei socian gan

ddŵr o beipen gardd roedd Jac yn ei hanelu
ati. Doedd e ddim hyd yn oed yn gwybod
bod peipen gardd 'da nhw. Roedd hi fel
petai wedi ymddangos yn ei law. Gollyngodd
Jac hi mewn syndod. Roedd hyn mor od!

Yna, gwelodd Jac beth oedd yn digwydd i'r
tŷ. Doedd e ddim wedi'i wneud o fara sinsir
bellach. Roedd e'n dŷ go iawn unwaith eto,
ond – ac roedd e'n OND mawr iawn – roedd
un ochr i'r tŷ'n cwympo i lawr.

Roedd wal gyfan yn cwympo tuag atyn nhw. Roedd hi'n mynd i'w gwasgu nhw. 'Cymerwch ofal!' gwaeddodd Jac. 'Cymerwch ofal!'

Arhosodd pawb a rhythu, wedi'u sodro i'r fan, wrth i'r wal fawr ruthro tuag atyn nhw, rhuthro, rhuthro, hyd nes . . .

CRASH!

Caeodd Jac ei lygaid yn dynn. Tarodd y wal y llawr nes bod y lle'n crynu. Doedd Jac ddim yn gallu credu'r fath beth. Roedd e'n dal i sefyll. Roedd e'n dal yn fyw. Agorodd ei lygaid ac edrych o'i gwmpas. Roedden nhw i gyd yn dal i sefyll. Trwy ryw ryfedd wyrth, roedd pob un ohonyn nhw wedi bod yn sefyll lle roedd ffrâm ffenest agored wedi glanio. Roedden nhw'n sefyll yno, y tu mewn i fframiau'r ffenestri, gyda waliau'r tŷ'n gorwedd o'u cwmpas ymhobman. Edrychon nhw ar ei gilydd mewn syndod llwyr.

'Waw,' sibrydodd Lowri, gyda gwên fach. 'Dyna lwc!'

'Mae cwstard yn dy wallt di,' meddai Jac.

'Trôns!' meddai Llinos yn ôl, a heb feddwl dim rhoddodd Jac ei ddwy law ar ei ben-ôl.

Pennod 7

Bwcedi o Waed

'Oes rhywun yn gallu egluro be sy'n mynd ymlaen?' gofynnodd Mr Tomos. 'Mae'n union fel rhyw freuddwyd rhyfedd.'

'Mwy fel hunllef, ti'n feddwl,' meddai Mrs Tomos.

'Y seler sy'n gyfrifol,' dechreuodd Jac.

'Does dim seler!' protestiodd ei dad. 'Paid â mynd ymlaen ac ymlaen am yr un hen beth fel tôn gron.'

'Mae 'na seler,' meddai Lowri. 'Rydyn ni wedi bod yno. Mae peiriant i lawr yna sy'n gwneud i'r holl bethau hyn ddigwydd, a dydyn ni ddim yn gallu'i stopio. Ar y foment mae'n rhaid i bopeth fod yn slapstic, a slapstic fydd e hyd nes y byddwn ni'n gallu ei newid.'

'Beth sy'n dod ar ôl slapstic?' gofynnodd Mrs Tomos.

'Dyna'r broblem,' eglurodd Jac. 'Fyddwn ni ddim yn gwybod nes i ni wthio'r lifer.'

Erbyn hyn roedd y pedwar ohonyn nhw i lawr yn y seler, yn straffaglu i gyrraedd y peiriant. Roedd yn rhaid iddyn nhw frwydro drwy bentyrrau mawr o grwyn banana, pasteiod yn gwibio a pheipiau gardd yn saethu hylif. Ond yn waeth na hynny, roedd eu trowseri'n cwympo i lawr o hyd ac o hyd, beth bynnag roedden nhw'n ei wneud.

Tynnodd y pedwar ohonyn nhw'n galed ar y lifer. *CLONC!*

DIRGELWCH Y LLOFRUDDIAETH

'O diar,' ochneidiodd Mrs Tomos. 'Dw i ddim yn hoffi sŵn hwnna.'

Yn union fel petai rhywun wedi bod yn gwrando, daeth sŵn sgrech annaearol a glaniodd corff marw ar y ford yn ymyl Mrs Tomos. Daeth clep ofnadwy wrth i'r corff daro'r bwrdd, a thasgodd cawod o waed drosti.

Roedd bwyell yn sownd ym mhen y dyn marw, saeth drwy ei galon, cyllell yn ei stumog a rhaff am ei wddf.

'Aha!' galwodd llais cryf o gornel bella'r seler. 'Wedi eich dal chi wrthi! Y fi yw'r Ditectif Mawr a dw i'n eich arestio chi, Mrs Karen Tomos, am lofruddio'r Arglwydd Plwmsyn-Snobyn.'

'Ond nid y fi wnaeth!' meddai Mrs Tomos.

'Os felly, pam mae gwaed dros eich dwylo? Yr un gwaed yn union. Edrychwch – mae ei waed e'n goch ac mae'r gwaed ar eich dwylo chi'n goch hefyd. Aha!'

'Mae pob gwaed yn goch,' meddai Jac.

'A dw i'n eich arestio chi am helpu eich

mam i lofruddio'r Arglwydd Plwmsyn-
Snobyn,' gwaeddodd y Ditectif Mawr.

'Ond syr, allen nhw ddim bod wedi'i
wneud e,' meddai Lowri wrtho. 'Roedd
y ddau gyda fi.'

Safodd y Ditectif Mawr gam yn ôl. 'Roedden
nhw 'da chi? Aha! Allwch chi brofi hynny?'

'Wrth gwrs, achos roeddwn i 'da . . . *fe*!'
Pwyntiodd Lowri at Mr Tomos mewn ffordd
ddramatig dros ben. Gwgodd y Ditectif
Mawr. 'A chi, syr,' mynnodd. 'Ble roeddech
chi?'

'Roeddwn i gyda chi,' atebodd Mr Tomos,
gan bwyntio at y Ditectif Mawr.

'Aha! . . . Ie, beth? Wir? Gyda fi?'
meddai'r Ditectif Mawr yn herciog.
'Ond, ond, ond mae hynny'n golygu mai
FI WNAETH E! Fi yw'r llofrudd!'

Cododd y corff, oedd ar y bwrdd, ar ei
eistedd, gwaed yn tasgu i bob cyfeiriad.
Ochneidiodd yr Arglwydd Plwmsyn-Snobyn
yn uchel.

'Does yr un ohonoch chi'n dda i ddim,'
cwynodd yr Arglwydd Plwmsyn-Snobyn.
'Does yr un ohonoch chi'n euog. Y bwtler
drywanodd fi. Y forwyn dagodd fi.

Y garddwr saethodd fi gyda'i fwa saeth ac
wedyn fe wnes i blannu bwyell yn fy mhen
fy hun.'

Cododd yr Arglwydd Plwmsyn-Snobyn oddi
ar y ford a slwtsian ei ffordd ar draws y
seler. 'Dw i wedi cael llond bol o'r holl
fusnes llofruddiaeth yma. Edrychwch beth
mae e wedi'i wneud i'm siwt i. Gwaed
ymhobman! Wel, mae'n rhaid i'r holl beth
ddod i ben.' Estynnodd ei fraich allan a
thynnu'r lifer. *CLONC!*

Casglodd pawb o gwmpas y ffenest fach a
rhythu ar y gair nesaf.

Pennod 8

Peidiwch ag Edrych!

RHAMANT

Dyna'r gair oedd yn y ffenest. Rhamant.

Craffodd Jac yn ofalus o gwmpas yr ystafell. Roedd ei dad a'i fam wedi mynd. Roedd e ar ei ben ei hun gyda Lowri. Llifai'r haul i mewn a llenwi'r seler â golau. Yn un cornel roedd titw tomos las yn trydar. Gwelodd sawl iâr fach yr haf yn hedfan yn hapus yn yr heulwen, a llanwyd y lle ag arogl melys rhosynnau. Rhywle yn y pellter roedden nhw'n gallu clywed rhaeadr yn tincial dros y creigiau.

Gwenodd Lowri ar Jac. Edrychodd arno'n gariadus. 'Rwyt ti mor ddewr,' sibrydodd. 'Ac mor olygus.'

Llyncodd Jac. Roedd e'n moyn dweud: *Paid â dod yn nes!* Roedd e'n moyn dweud: *Beth sy'n digwydd i mi?* Roedd e'n moyn gweiddi: *HELP!* Ond doedd e ddim yn gallu. Yn lle hynny, roedd ei geg yn agor a chau. Roedd ei wefusau'n symud, a chlywai ei hun yn dweud, 'Dw i'n credu mai ti yw'r ferch brydferthaf dw i erioed wedi'i gweld.'

Roedd hyn yn beth diddorol iawn i Jac ei ddweud oherwydd, erbyn hyn, roedd Lowri'n edrych braidd yn anniben. Roedd gweddillion y pasteiod a'r tartennau drosti o hyd, yn ogystal â llawer iawn o waed yr Arglwydd Plwmsyn-Snobyn. Roedd baw yn stremps ar ei hwyneb ac yn ei gwallt. Er gwaethaf popeth, credai Jac bod Lowri'n edrych yn brydferth, a dywedodd wrthi.

'Ti wir yn meddwl fy mod i'n brydferth? Doeddet ti ddim yn arfer meddwl hynny,' dywedodd Lowri, gan gymryd cam yn nes ato.

Ysgydwodd Jac ei ben. 'Fe wthiaist ti fi i'r pwll padlo,' atgoffodd hi.

'Ac fe wthiaist ti fi i wely blodau dy fam,' atebodd hithau'n ôl.

'Ti wthiodd fi gynta,' mynnodd Jac.

'Fe wthiais i ti am fy mod i'n dy ffansïo di,' meddai Lowri. 'Dw i wedi dy ffansïo di erioed,' meddai gan gymryd cam arall yn nes.

Teimlai Jac fel petai ei draed wedi'u gwreiddio yn y fan a'r lle. Erbyn hyn, doedd e ddim yn siŵr a oedd e eisiau rhedeg i ffwrdd, neu aros i weld beth fyddai'n digwydd nesa. Roedd Lowri'n nes o lawer ato. Gallai ei chlywed yn anadlu. Gallai deimlo ei chynhesrwydd. Estynnodd ei breichiau allan tuag ato. Cododd ei hwyneb at ei wyneb ef. Pwysodd yn ei erbyn a phlygodd Jac yn ôl. *CLONC!*

Roedd e wedi gwthio yn erbyn y lifer. Daeth Jac ato'i hun fel petai wedi cael ei ddihuno o ryw freuddwyd bell. Camodd yn ôl oddi wrth Lowri. Doedd e ddim yn gallu credu'r peth! Roedden nhw wedi bod ar fin cusanu! Fe a Lowri!

Roedd Lowri'n syllu ar y ffenest. 'Mae'n wag,' ochneidiodd. 'Does dim byd yna. Mae'r cyfan ar ben.'

'Diolch byth am hynny,' mwmialodd Jac. 'Dere, mae gwaith 'da ni i wneud.'

Cydiodd yn llaw Lowri a'i thynnu i fyny'r grisiau allan o'r seler. Gyda'i gilydd fe wthion nhw ddrws y seler ar gau. Hoeliodd Jac ddarn mawr o bren ar draws y drws.

Cafodd hyd i hen frwsh paent a hanner tun o baent. Dechreuodd arni â'r brwsh, ac ychwanegu tri gair i'r rhybudd ar ddrws y seler, un ar y dechrau a'r llall ar y diwedd.

YN BENDANT

Peidiwch â mynd i'r seler

BYTH

'Dylai hwnna wneud y tric,' meddai.

Aeth y ddau ohonyn nhw allan i'r ardd a thaflu'u hunain ar y borfa. Roedden nhw wedi blino'n lân ar ôl yr holl helynt. Gorweddodd Jac yno a theimlo gwres yr haul ar ei wyneb. Trodd at Lowri. Roedd ei hwyneb wedi troi tuag ato, ond roedd ei llygaid ar gau. Doedd Jac ddim yn siŵr a oedd hi wedi cwympo i gysgu ai peidio.

O wel, meddyliodd, *roedd hi'n, wel, OK, a chysidro mai merch oedd hi. Fel mater o ffaith roedd hi'n* . . .

Agorodd Lowri ei llygaid a syllu ar Jac.

'Ry'n ni wedi cael dihangfa ffodus,' meddai'n swrth. 'Pwy a ŵyr beth fyddai wedi gallu digwydd?'

'Pwy a ŵyr beth fydd yn digwydd?' sibrydodd Lowri'n awgrymog, a chyffwrdd ei fraich â'i bysedd. 'Pwy a ŵyr?'

Hefyd yn y gyfres:

Dilys Ddwl
Dilys Ddwl ar Goll
Tair Gôl i Al
Gwystl
Taro'r Targed
Y Ddau Jac
Codi Calon Tad-cu
Y Tŷ Dienw
Byw gyda Fampirod
Gwarchae!
Ysgol Cŵn Bach
Brad
Wmba Bwmba o'r Gofod
Cath Modryb Bela
Dydd Gwener am Byth
Ail Lwytho'r Gameboy
Huw Puw a'r Tadau Hud
Arwr y Naid Bynji
Y Dwsin Drwg

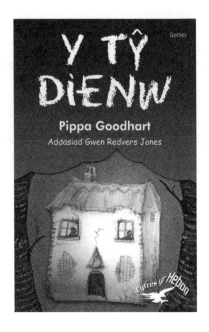

Mae rhywbeth yn rhyfedd iawn ynghylch y tŷ dienw.
Rhyw naws anghysurus, sy'n codi ofn . . .

Pan mae tad Rhodri yn prynu tŷ sydd wedi bod yn wag
am nifer o flynyddoedd, maen nhw'n darganfod
ysbrydion, dirgelwch – a pherygl. Tybed a fydd Rhodri a'i
ffrind Ifan yn llwyddo i ddarganfod y gwir cyn i neb arall
gael niwed?

ISBN 978 1 84323 985 7   £4.99

Beth petai'r byd i gyd yn cael ei droi ben i waered mewn
un diwrnod? Un funud mae Ivan yn breuddwydio yn
y dosbarth, y funud nesa mae'n ymladd i oroesi.
Mae byddin yr Almaen wedi goresgyn Rwsia, a dim
ond Ivan sy'n gallu gofalu am ei chwaer a'i frawd bach.
Mae'r ddinas wedi'i thorri i ffwrdd oddi wrth y byd allanol.
Dim trydan, dim bwyd, dim gobaith . . . A fydd Ivan yn
llwyddo i oresgyn pob anhawster?

ISBN 978 1 84323 974 1   £4.99

Mae Hannah a Frieda yn ffrindiau gorau. Ond does neb
yn teimlo'n saff yn yr Almaen cyn yr Ail Ryfel Byd.
Fedrwch chi ddim ymddiried yn neb. Iddewon yw teulu
Hannah. Natsïaid yw teulu Frieda. Ac mae'r Natsïaid yn
casáu'r Iddewon.

A fydd Frieda a Hannah yn llwyddo i fod yn ffrindiau am
byth? Neu a fydd un yn bradychu'r llall?

ISBN 978 1 84323 984 0   £4.99